U0065450

字的主題樂園
巴巴國王
變變變
文／林世仁．圖／楊麗玲、鄭淑芬、黃文玉

目錄

字的主題樂園

巴巴國王變變變

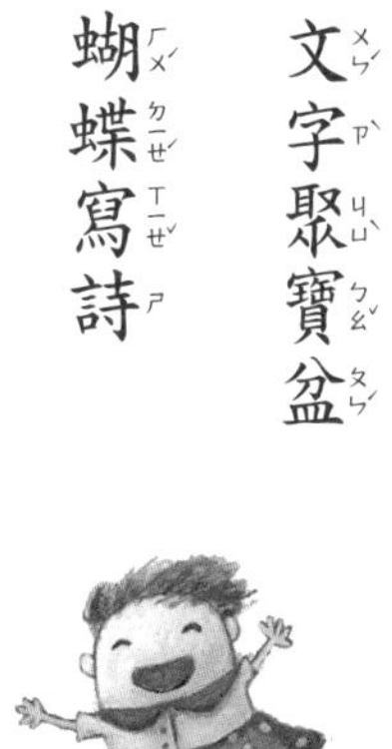

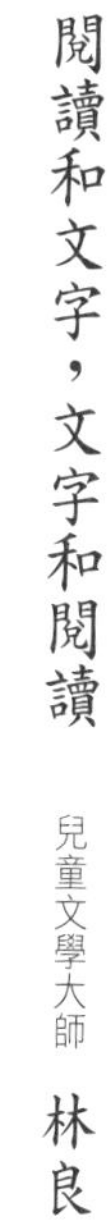

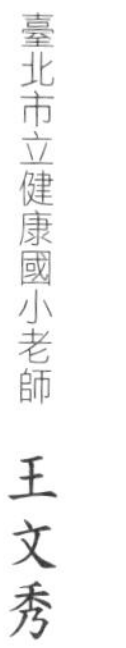

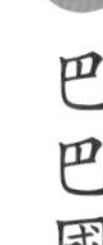

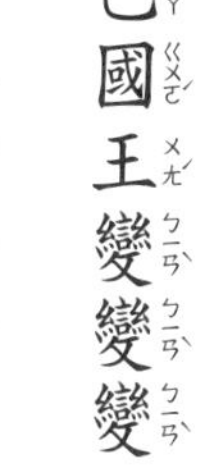

王小小上學

楊麗玲 繪

王小小轉到新的學校，第一天上學就被同學欺負。放學了，王小小回到家，哭著問媽媽：「媽媽，我的王是不是王八蛋的王？」

「誰說的？」媽媽說：「你的王不是王八蛋的王，是國王的王。」

「真的，國王的王？」

王小小不哭了。

媽媽點點頭。王小小擦乾眼淚，開開心心去洗澡。

第二天，王小小又哭著回家。「媽媽，我叫小小，是不是因為我是小人？又長得小？」

「誰說的？」媽媽從一本大書中抬起頭：「你是媽媽的小寶貝、小心肝，所以叫小小。」

「耶，我是媽媽的小寶貝！小心肝！」

王小小擦乾眼淚，開開心心去做功課。

第三天，王小小又生氣的跑回來，把書包甩在地上，說：「媽媽，我不要上學了，同學罵我不是人！」

「傻孩子！」媽媽闔上大書，抱起王小小：「何必生氣呢？你本來就不是人，幹嘛跟那些同學計較。」

「我不是人？」

「當然哪！」媽媽親了王小小一下：「你是小天使啊！」

媽媽收起魔法書，往桌上一指。餐桌上立刻出現四菜一湯：白雲炒豆干、涼拌彩虹、鍋燒流星、紅豆燉太陽，還有五湖四海湯。媽媽說：「乖，去洗個手，準備吃飯嘍，這是媽媽從食譜上新學來的菜色喔！」

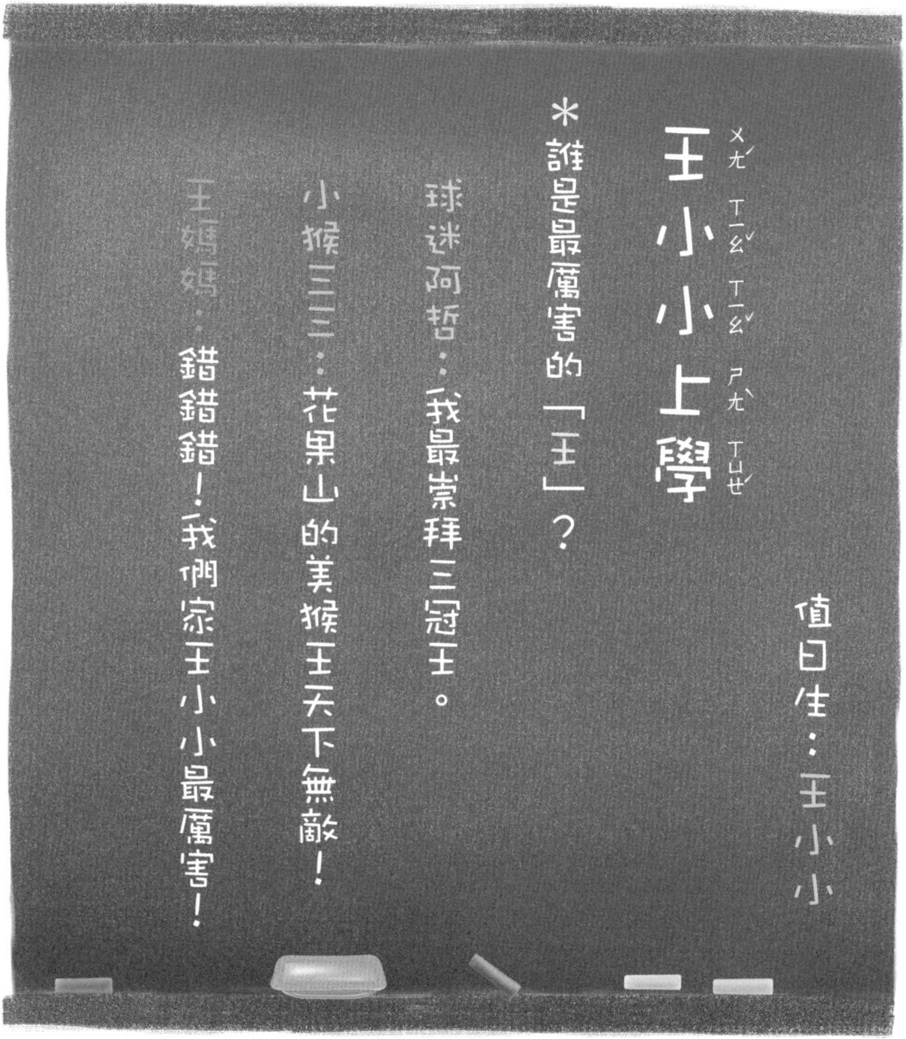

值日生：王小小

王小小上學

*誰是最厲害的「王」？

球迷阿哲：我最崇拜三冠王。

小猴三三：花果山的美猴王天下無敵！

王媽媽：錯錯錯！我們家王小小最厲害！

離家出走的鋼琴

鄭淑芬 繪

有一隻鋼琴，天天被人彈。有一天，它終於受不了，逃走了。「每次都是別人彈我，今天換我來彈別人。」

鋼琴走到一罐大街上，看到來來往往的汽車，心裡很好奇：「不知道這盤汽車彈起來是什麼聲音？」它一條一條彈過去。大車「叭叭叭！」，小車「叭叭叭！」，滿街都是「叭叭叭！」。

「不好聽！」鋼琴改彈一粒粒走過來、走過去的行人：「哎唷喂啊！」「哇！」「嗚——！」「痛啊！」「媽——啊！」鋼琴搖搖頭：「更難聽！」

鋼琴看見街上有一鍋一鍋的便利商店，立刻去彈它們的門鈴。

「叮咚，歡迎光臨！」

「叮咚，歡迎光臨！」

「叮咚，歡迎光臨……」

「真難聽！老是重複同一個聲音。」

鋼琴走到鄉村，看到三碗公雞、母雞和小雞，立刻過去彈牠們的腦袋瓜。一下子彈彈單音：

「喔喔喔！」「咕咕咕！」「唧唧唧！」一下子交錯彈：

「喔——咕——唧，
唧——咕——喔，咕唧——
咕唧，喔咕——喔咕……」

鋼琴彈著三斤狗，五兩貓：

「汪！汪！汪！」
「喵喵喵喵喵！」

鋼琴彈著一張牛，四桌羊：

「哞——！」「咩咩咩咩！」

……

鋼琴有點兒累了。它走進一輛山，坐在一隻草坡上，睡著了。

夢中，鋼琴彈起了整輛山。山發出好聽的音樂：飄下來的樹葉低低唱，小溪遠遠合著音，陽光在樹枝間打拍子，白雲在藍天上輕輕唱……

大樓裡的每一粒人都出來找鋼琴。他們一路追蹤，終於來到山裡。

他們找遍了整輛山，
沒看到鋼琴，卻發現山路上
一盞一盞的臺階就好像
一棟一棟的音符，隨著他們的腳步，
上上下下，演奏出好聽的聲音。
整座山都發出好聽的聲音。
人們放慢腳步，輕輕走，不再找鋼琴。
人們發現，這座山就是一架鋼琴。

值日生：一架鋼琴

離家出走的鋼琴

＊離家出走的量詞

這篇故事的量詞都和鋼琴一樣離家出走，可以請你帶它們回家嗎？

個、條、頭、座、隻、家、串、階、輛

一（罐）大街
二（條）汽車
三（粒）人
四（鍋）便利商店
五（碗）公雞
六（張）牛
七（桌）羊
八（輛）山
九（盞）台階
十（棟）音符

老頭與丫頭

楊麗玲 繪

一個老頭上山頭，上山頭去砍木頭，砍了木頭上街頭。上街頭，賣木頭，賣了木頭買斧頭，買了斧頭上山頭，上山頭，繼續砍木頭。

一個丫頭愛梳頭，天天街上賣罐頭。「肉罐頭！魚罐頭……花罐頭！草罐頭！微笑罐頭！陽光罐頭！幸福罐頭……」只要想得到，包你買得直點頭。

一個光頭小魔頭，不愛鋤頭，討厭榔頭，天天跑碼頭。捕魚嫌麻煩，偷魚有一手，直接放進褲裡頭。別人辛苦出海坐船頭，他在岸上翹腳吃饅頭。

一天出了大日頭，老頭碰到小丫頭。

丫頭梳梳頭，動起甜舌頭：「來來來，買罐頭！三頭牛抵不上我的肉罐頭，山裡的大頭目，也愛我的魚罐頭。吃了我的好罐頭，包你喜上眉頭，甜上心頭。」

丫頭說得頭頭是道，老頭聽得一直搖頭：「我只想賣木頭，買斧頭。」

丫頭仍然笑開口：「不買不用愁，送您一罐結緣小罐頭。」

光頭離開碼頭，過了橋頭，來到大街頭，逛了這頭逛那頭，到處亂丟香菸頭。

經過店頭，前頭抓枝甘蔗，後頭摸一壺酒；布攤上扯塊大花布，肉攤上搶塊肉骨頭。店家一看苗頭不對，個個收攤公休。長長一條街，只剩丫頭賣罐頭。光頭大步走來像潑猴，抓起罐頭，丟下兩根臭骨頭：「喏，給你牛骨頭、雞骨頭，不必找零頭。」丫頭哪肯依？「大光頭！小滑頭……」唏哩嘩啦罵臭頭。光頭一手握拳頭，一手拿起甘蔗頭，敲敲丫頭的小額頭：「你想吃苦頭？還是嘗甜頭？」丫頭捂捂頭，看看這頭望那頭，一望望到街盡頭，沒人

敢出頭。

忽然老頭搖搖頭，看著光頭皺眉頭。

光頭瞪老頭，瞧瞧上頭，瞅瞅下頭：「你這個傻老頭，想撿石頭？想扔磚頭？哼，給我乖乖坐那頭，還是要我幫你剃個小平頭？不然打歪你的頭，教你回家抱枕頭。」

不用磚頭，沒撿石頭，老頭只是搖搖手指頭，動動腳趾頭，「噼哩啪！咻的咚！」就把光頭摔了一個大跟頭。

「死豬頭，說話要用好舌頭，不要只會比拳頭。比拳頭？沒看頭！」光頭痛得揉肩頭，嚇得直點頭，趕緊還了丫頭的罐頭，

對著老頭猛磕頭，誰叫今天碰到死對頭！

噫，老頭天天上街頭，沒人知道他的力氣大過牛。看人真的不能看外頭！

話說從頭，看看故事的開頭。要不是力氣大，砍壞好斧頭，老頭哪用天天上街買斧頭？

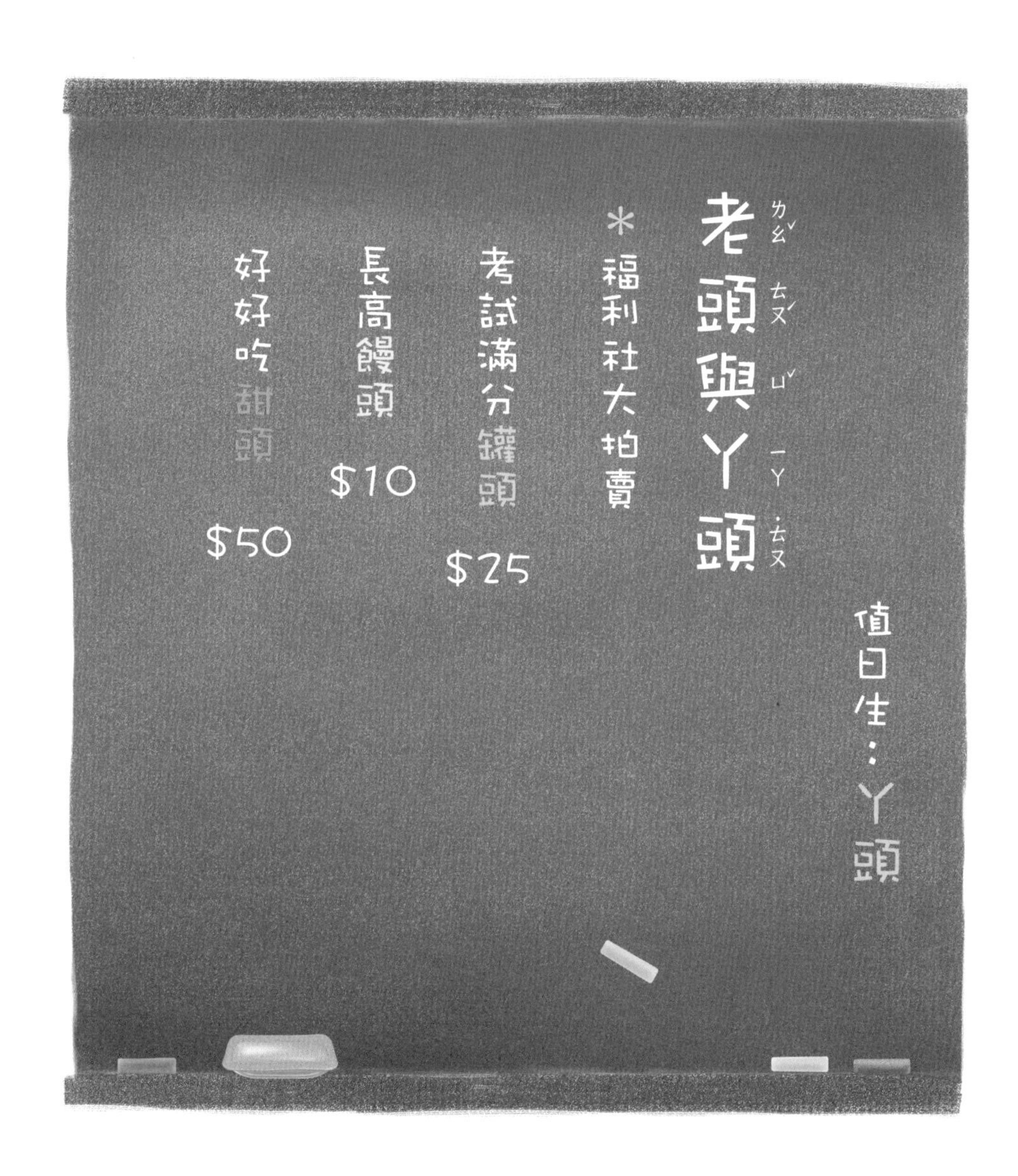
老頭與丫頭 ㄌㄠˇ ㄊㄡˊ ㄩˇ ㄧㄚ ˙ㄊㄡ
*福利社大拍賣
考試滿分罐頭
$25
長高饅頭
$10
好好吃甜頭
$50
值日生：丫頭

小熊學算術

楊麗玲 繪

熊爸爸開了一家當鋪，他要小熊去上學，學算術，回來好幫忙記帳。

老師在黑板上畫了一條橫線：「這是一。」又在黑板上畫了兩條橫線：「這是二。」接著，又畫了三條橫線：「這是三。」小熊立刻站起來收拾書包：「哈，我會了！」說完三步併作兩步，開心的跑回家。

熊爸爸看見小熊這麼快就學會了，高興的叫他在店裡記帳。

下午生意差，只有山豬來當項鍊。可是小熊記帳記到晚飯都涼了還沒記完，熊爸爸忍不住問他怎麼回事？小熊放下筆，揉揉手說：「就快好啦！山豬的項鍊當了一萬元，我已經記到七千八百九十九了呢！」熊爸爸接過帳簿一看，上頭全是一——七千八百九十九個一！熊爸爸氣得七竅生煙，罵了小熊一頓。他要小熊再去學校，好好學會加減乘除。

於是，第二天，小熊又拎著書包出門了。

小熊走到半路，看見一隻狐狸抽著香菸、翹著二郎腿坐在石頭上（誰要罵他是不三不四的壞小孩，他就朝誰吐菸圈），衣服穿得五顏六色，頭髮亂七八糟。「嗨，小熊，你要不要加入我的『翹家小孩幫』！我們一起去玩。」小熊搖搖頭，他可不敢把爸爸的話拋到九霄雲外。小熊走到十字路口，立刻轉向學校。他要繼續學算術！

這一次，小熊發現數學老師教的不一樣。數字接二連三跑出來，好像成千上萬的妖魔鬼怪，搶

著把小熊推進五里霧，害得他看不清、弄不懂，百思不解。有一天，他經過另一間教室，聽到老師在教小朋友寫「數學詩」。「咦，這裡也在教算術，我來聽聽看！」小熊站在窗外聽。

斑馬在黑板上寫：

一馬當先＋一帆風順＋心不二用＋三思而行＋五花八門＝十全十美

「啊，我喜歡這種算術！」小熊眼睛一亮。

接著，換企鵝寫：

冰涼涼＋甜蜜蜜＝吃冰淇淋的好滋味

「這題更簡單！」小熊忍不住拍起手：

「哈，我懂了！」

老師發現小熊在窗外偷聽，請他進來，要他也寫一首數學詩。

小熊不好意思的在黑板上寫：

？＋？＋？＋？＋？＝什麼都不會的我

「不錯啊，寫得很好！」老師讚美他。

小熊一聽好高興，坐下來，學得更起勁。

接下來幾天，他寫了好多「數學題」：

咕嚕＋咕嚕嚕＋咕嚕咕嚕＝ 肚子好餓

一顆糖＋兩顆糖＋三顆糖＋好多好多顆糖＝
滿嘴的大蛀牙

一顆種子＋溫暖暖的陽光＋冰涼涼的雨水＋
春夏秋冬＝ 一棵漂亮的大樹

天空－ 太陽－ 白雲＋滿天星星＝ 天黑啦

嚇死人的雨水× 嚇死人的風＝ 地球在洗颱風澡

天空÷ 全世界的人＝
全世界的人眼裡都有一片美麗的天空

嘻，加減乘除通通有！

「耶，我學會算術囉！」

小熊高高興興的跑回家。

結果……

又被熊爸爸罵了一頓！

沒學好算術。

十年過去了，小熊還是

不過，沒關係，他變成了

一名詩人！

小熊學算術

＊小熊的數學作業

一、四面八方＋一步登天＝(　)花八門

二、五光十色×不二價＝(　)貨公司

三、七竅生煙－一籌莫展＝(　)神無主

值日生：小熊

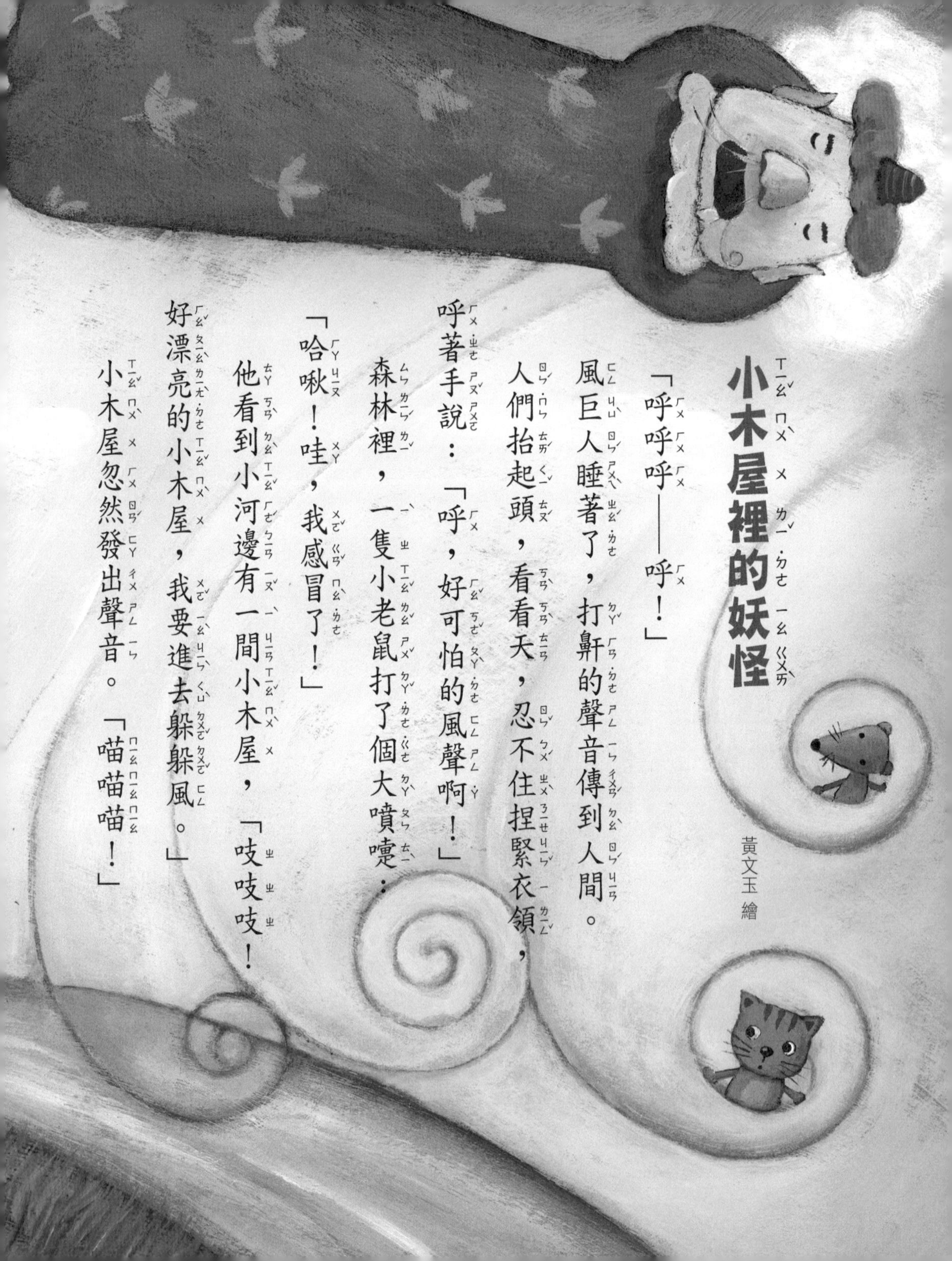

小木屋裡的妖怪

黃文玉 繪

「呼呼呼——呼！」

風巨人睡著了，打鼾的聲音傳到人間。

人們抬起頭，看看天，忍不住捏緊衣領，

呼著手說：「呼，好可怕的風聲啊！」

森林裡，一隻小老鼠打了個大噴嚏：

「哈啾！哇，我感冒了！」

他看到小河邊有一間小木屋，「吱吱吱！

好漂亮的小木屋，我要進去躲躲風。」

小木屋忽然發出聲音。「喵喵喵！」

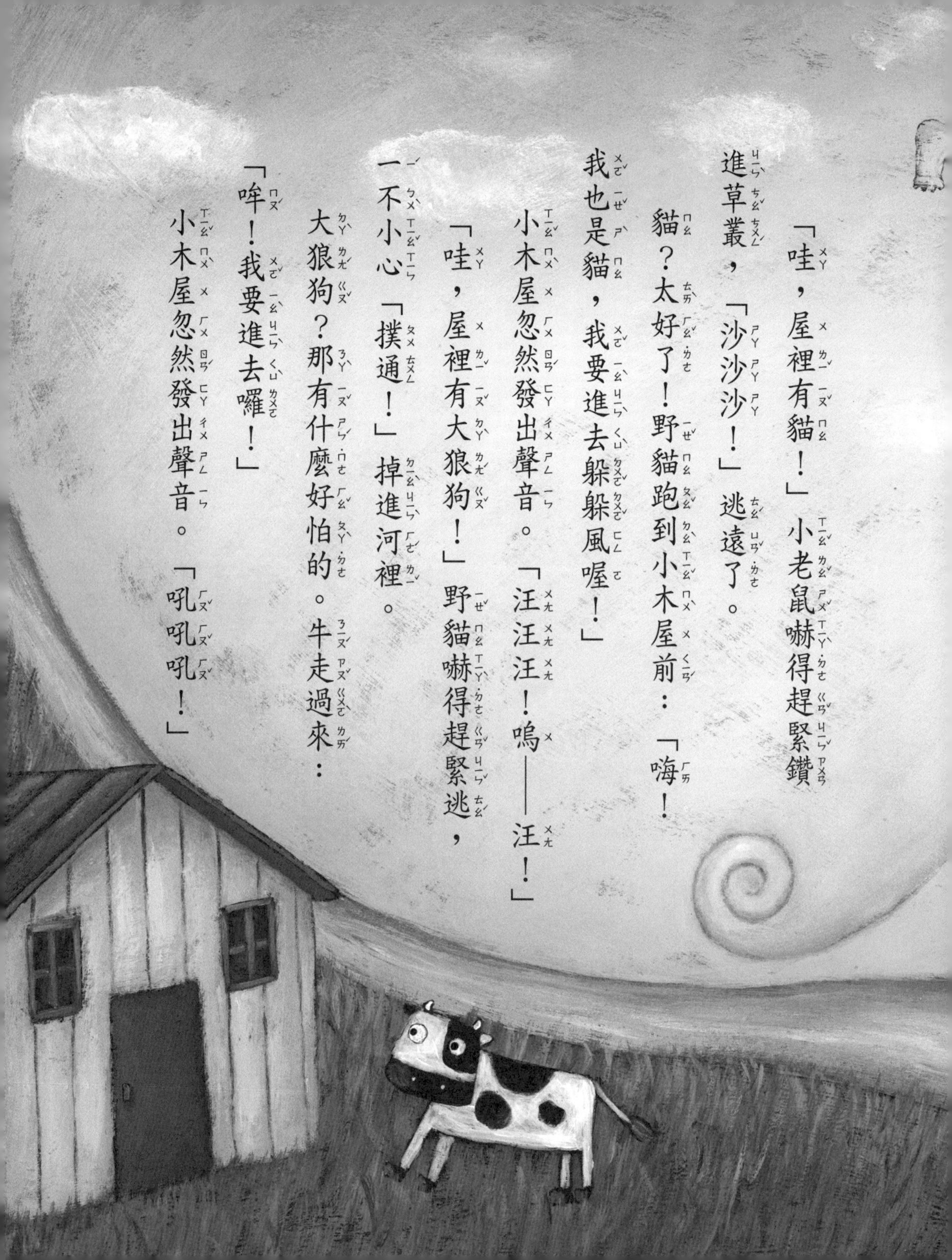

「哇，屋裡有貓！」小老鼠嚇得趕緊鑽進草叢，「沙沙沙！」逃遠了。

貓？太好了！野貓跑到小木屋前：「嗨！我也是貓，我要進去躲躲風喔！」

小木屋忽然發出聲音。「汪汪汪！嗚——汪！」

「哇，屋裡有大狼狗！」野貓嚇得趕緊逃，一不小心「撲通！」掉進河裡。

大狼狗？那有什麼好怕的。牛走過來：「哞！我要進去囉！」

小木屋忽然發出聲音。「吼吼吼！」

「哇，屋裡有獅子！」牛嚇得趕緊逃，「噼哩碰咚！」撞倒好多樹。

獅子？森林裡什麼時候來了第二隻獅子？

想搶我的地盤嗎？「咚咚咚！」獅子生氣的猛敲門：「喂，臭傢伙，快滾出來！」

小木屋忽然發出聲音。「咻——砰！達達達達！砰砰砰！」

哇，大砲？機關槍？小木屋裡有獵人！獅子嚇得趕緊逃。

小木屋裡有妖怪的消息，一下子傳遍了整座森林。

動物都好想到小木屋裡躲躲風，卻誰也不敢進去。

哎，怎麼辦？

大家還發現：不同的動物站在小木屋前，它就會發出不同的聲音。有時是「霍霍霍！」的磨刀聲，有時是「嘩啦啦！」的瀑布聲，甚至「轟隆隆！」的打雷聲！

咦，怎麼聲音都不一樣？難道妖怪有一千張嘴巴？

動物又害怕又好想知道。

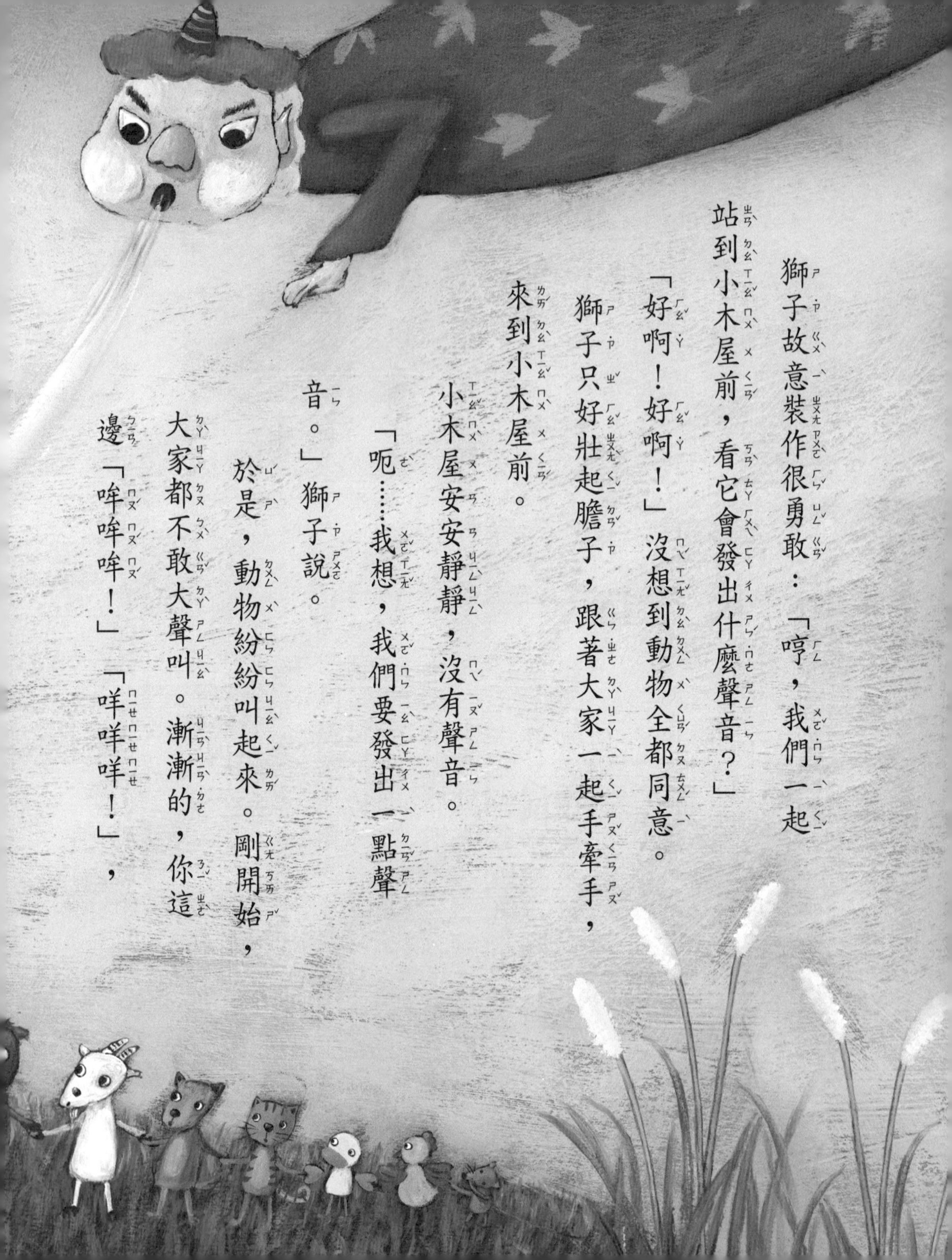

獅子故意裝作很勇敢：「哼，我們一起站到小木屋前，看它會發出什麼聲音？」

「好啊！好啊！」沒想到動物全都同意。

獅子只好壯起膽子，跟著大家一起手牽手，來到小木屋前。

小木屋安安靜靜，沒有聲音。

「呃……我想，我們要發出一點聲音。」獅子說。

於是，動物紛紛叫起來。剛開始，大家都不敢大聲叫。漸漸的，你這邊「哞哞哞！」「咩咩咩！」，我這邊「喔喔喔！」

「啾啾啾！」，他那邊「呱呱呱！」

「啞啞啞！」，聲音混在一起，變得好好玩。

大家越叫越大聲……。

小木屋仍然安安靜靜的沒有聲音。

忽然，風巨人醒了過來：「喂，誰這麼吵啊？」

風巨人往下探探頭，生氣的

吹了一口氣：「呼！」

動物嚇得趕緊閉上嘴巴。

但是，他們馬上又張大了嘴巴。

小木屋的門被吹開了！

裡面竟然是……

一隻鸚鵡！

風巨人又閉上了眼睛，

打起呼嚕：「呼呼呼——呼！」

「哈啾！」「哈啾！」「哈啾！」

所有動物都感冒了。他們一隻一隻

全跑進小木屋裡。

這一次，換鸚鵡在外頭吹風了。

呵，風巨人不知道，他打鼾時帶起的風，

比他醒來時吹的風更可怕呢！

值日生：小老鼠
小木屋裡的妖怪
*連連看，把這些動物和叫聲配對
烏鴉
小水鴨
綿羊
大野狼
噢——嗚
嘎嘎嘎
呱呱
咩咩

巴巴國王變變變

黃文玉 繪

巴巴國的國王有七個名字。

星期一，他是凶巴巴國王。這一天，誰都不敢笑嘻嘻，全國靜悄悄，連天氣都是陰沈沈的。

星期二，他是瘦巴巴國王。這一天，國王不吃東西，全國禁食，所有食物都只能待在冰箱裡，胖嘟嘟的人通通不准出門。

星期三，他是眼巴巴國王。這一天，是全國的狂歡節，到處喜洋洋、亂哄哄，

大家愛做什麼就做什麼。因為國王只能眼巴巴的看，不能開口罵人，也不能動手打人。

星期四，他是乾巴巴國王。這一天，誰都不能碰水，即使全身髒兮兮也不准脫得光溜溜去洗澡，免得溼答答。喝水呢？也不准！（不過有些人比較聰明，他們偷偷喝果汁！）

星期五，他是皺巴巴國王。這一天，大家都慘兮兮——因為每個人都得穿上皺巴巴的衣服才能出門。

星期六，他是結結巴巴國王。這一天，大家都盡量不開口，免得說話太流利，被捉去關。

星期日，他是沒趣巴巴國王。難得放假，國王卻規定大家只能玩跳高、跳遠和跳棋，其他統統不准玩，害得大家一整天都可憐兮兮。

國王這麼重視名字，所有人都苦哈哈，卻沒有人敢反抗。

有一天，發生了一件奇怪的事。

全國的日曆都不見了！

國王一覺醒來，弄不清楚今天是星期幾。這下慘了！早餐的牛奶太燙，國王剛想罵人，心裡一想：說不定今天是星期四？乾巴巴的日子，卻能喝到牛奶，豈不是賺到了？這麼一想，他不但不挑剔，還覺得一早就有牛奶喝，真是太幸福了！下午，王子偷偷爬牆出去玩，結果摔下來，痛得淚汪汪。國王氣沖沖正想罵人，忽然想：萬一今天不是星期一，怎麼能凶巴巴呢？他拍拍王子的頭，要他下次小心一點。

國王怕弄錯日子，不敢隨便凶巴巴或結結巴巴，只好天天躲在王宮裡。

這一天，王國裡來了一個人，名叫阿里巴巴。

「阿里巴巴？他是巴巴國的遠親嗎？『阿里』是什麼意思？」國王好奇的派人跟蹤他，看阿里巴巴怎麼表現出「阿里」的樣子。

結果，國王發現阿里巴巴天天都笑咪咪，就把他叫來，問他是不是因為叫「阿里」巴巴，所以天天笑咪咪？

「我天天笑咪咪，是因為我喜歡笑啊！」

阿里巴巴笑呵呵的回答：「阿里巴巴只是

我的名字，不管我叫什麼，我就是我，不會有任何改變啊！」

國王一聽，忽然想通了！從此以後，他決定只叫自己──巴巴國王。

說也奇怪，當國王的名字不再變來變去的時候，全國的日曆又出現了。

「真奇怪，怎麼日曆也有脾氣呀？」國王想不通。

「誰都有脾氣嘛！」

王后說：「不過，我想日曆以後不會再隨便消失啦！」王后偷偷笑得好開心。

她終於可以在星期二吃到香噴噴、軟綿綿的蛋糕了！

值日生：巴巴國王
巴巴國王變變變
*巴巴國王說文解字
「巴巴」是個變色龍，在不同地方就產生不同的意思：
一、形容黏合的樣子，如：乾巴巴。
二、形容迫切、盼望的樣子，如：眼巴巴。
三、多話的樣子，如：他巴巴的說個不停。

又高又矮博士的妙點子

楊麗玲 繪

「啊，我知道了！」又高又矮博士從浴缸裡跳起來，他發現了生命的大祕密！

這個世界，有開始就有結束，有天就有地，有白天就有晚上，有大就有小，有胖就有瘦，有愛就有恨，有笑就有哭，有美就有醜，有男人就有女人，有小孩就有老人，有成功就有失敗，有和平就有戰爭……一切都是相對的。

又高又矮博士立刻在「慢慢吃速食店」

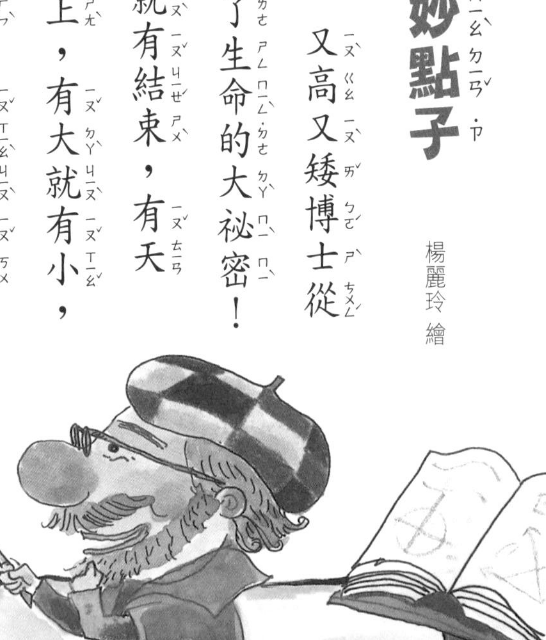

召開記者會，發表他的驚人發現——「世界相對論」，並且現場接受記者考試。

他說：「你們隨便舉一個詞，我立刻就能說出相反的詞。」

《清晨晚報》的記者第一個舉手：「上面。」博士立刻回答：「下面！」

《半夜日報》的記者說：「左邊。」博士立刻說：「右邊！」其他記者接著輪流開口，博士一一回答：

「天使。」「魔鬼！」

「光明。」「黑暗！」

「上班。」「放假！」

「服從。」「反抗！」

「誠實。」「說謊！」

「自卑。」「自大！」

「快樂。」「痛苦！」

「天才。」「白痴！」

……

果然沒有人難得倒又高又矮博士。

《每週月刊》的記者最後一個舉手：「請問，『世界相對論』對世界有什麼幫助？」

又高又矮博士說：「幫助可大了！有死是因為有生，有黑暗是因為有光明，有放假是因為有上班……『世界相對論』讓我找到了解決問題的真正方法！不過，我只能告訴總統。」

於是，總統立刻召見又高又矮博士。博士在總統耳邊用震耳欲聾的聲音說了幾句悄悄話。總統眼睛一亮，不斷點頭。

第二天，全國立刻總動員。

到處都貼滿了標語：「消除勇敢！」

「不要大方！」「趕走熱情！」

總統說：「感謝『世界相對論』讓我開竅！有勇敢才有膽小，有大方才有小氣，有熱情才有冷漠。只要沒有了勇敢、大方、熱情，我們就能徹底消除膽小、小氣和冷漠！」

接著，全國的好人統統被捉起來，有錢人統統被關起來，讀書人統統被趕出國。

總統笑呵呵的說：「從今天開始，全國不會再有壞人、窮人和不認識字的文盲啦！」

可是，好人被捉走了，壞人並沒有消失；有錢人被關起來，到處都是窮人；讀書人跑光了，文盲一個也沒有減少。

奇怪，怎麼會這樣呢？總統想不明白。

又高又矮博士也想不明白。

哎，沒辦法，誰叫又高又矮博士的腦袋也是相對的：

他的右腦聰明絕頂，左腦卻愚笨無比。「世界相對論」就是他用左腦想出來的笨方法，當然不管用囉！

不過，有一點，又高又矮博士倒是說對了：有開始，就有結束。

這個故事就要在這裡結束啦！

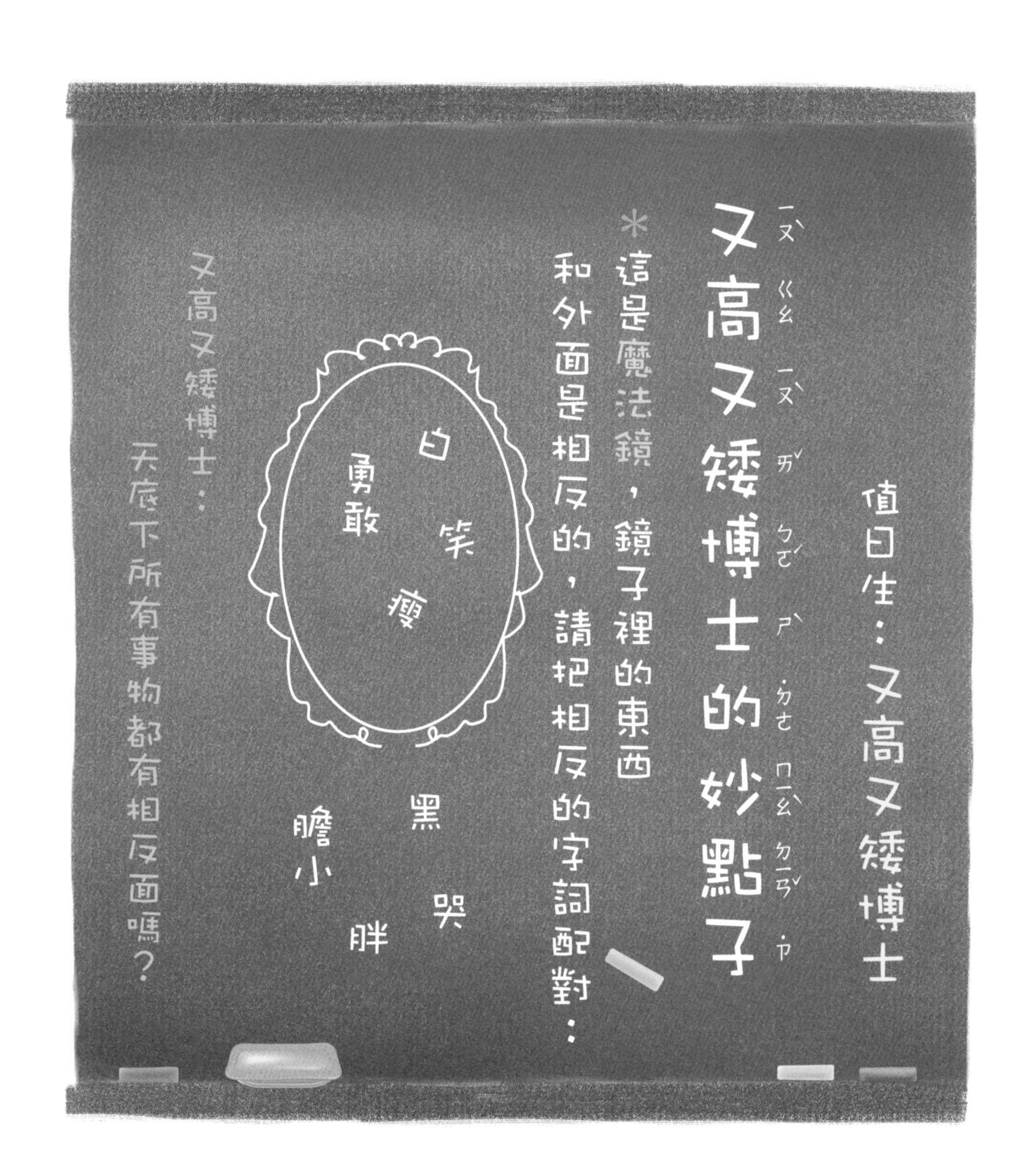

值日生：又高又矮博士
又高又矮博士的妙點子
ㄧㄡˋ ㄍㄠ ㄧㄡˋ ㄞˇ ㄅㄛˊ ㄕˋ ˙ㄉㄜ ㄇㄧㄠˋ ㄉㄧㄢˇ ˙ㄗ
＊這是魔法鏡，鏡子裡的東西
和外面是相反的，請把相反的字詞配對：
白
勇敢
笑
瘦
黑
膽小
哭
胖
又高又矮博士：
天底下所有事物都有相反面嗎？

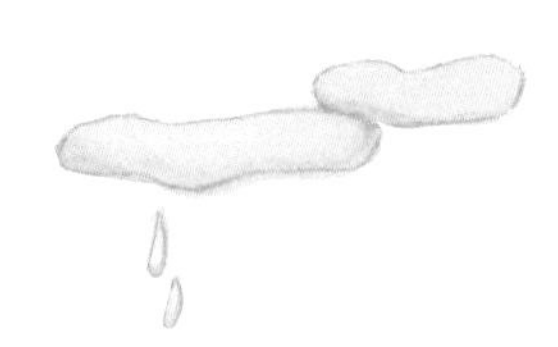

雙雙國與單單國

黃文玉 繪

雙雙國的人信奉雙雙神，雙雙神的名言是：好事成雙。

所以，雙雙國的人，名字只有兩個字（總統就叫雙雙），凡事都愛雙數，高興時一定「哈哈」笑，絕不會「哈哈哈」的笑；傷心時，也只會「啼哭」，不會「哭啼啼」。在雙雙國，雲一定成雙成對的飄來飄去，雨也是「浠瀝！浠瀝！」的下，絕不會「浠瀝瀝！浠瀝瀝！」的下。流浪狗如果忘了「汪汪！」

叫，不小心叫出「汪汪汪！」，立刻會被捉走。在雙雙國，你想用「一」根吸管喝飲料嗎？不是「不可以」喔，是「絕不可以」！

雙雙國的隔壁是單單國，單單國信奉單單神，單單神的名言是：福無雙至，禍不單行。

既然好事只來「一」次，壞事會成「雙」結隊的來，單單國的人全都喜歡「單」，討厭「雙」。他們的名字一定是三個字（總統就叫單單單），凡事都跟雙雙國相反。

他們高興時不會「微笑」，而是「微微笑」；失意時也不會感到「茫然」，而是「茫茫然」；這裡的夜晚不會「漆黑」，只會「黑漆漆」；交通再亂也不會「紛亂」，只會「亂紛紛」；街頭永遠不會「冷清」，只會「冷清清」。在單單國，你想用「兩」根筷子吃飯嗎？不是「不行」喔，是「絕不行」！

兩個國家這麼不同，偏偏是鄰居，真的很麻煩！像河水就很頭痛，流過雙雙國時，只能「嘩啦！嘩啦！」的響，一到了單單國，立刻

就要變成「嘩啦啦！嘩啦啦！」。大雁在天空上飛，也要隨時注意「單飛」或「雙飛」，才不會因為「違反交通規則」被打下來。

一天，兩國總統為了國界的標示牌，應該設立一塊或兩塊吵不停。

「哎呀，真巧，今天剛好八號！可見雙數最棒。」雙雙說。（瞧，他說了十六個字，正好是雙數。）

「哼，別忘了，今天是幾月？剛剛好七月！

單數才最棒。」單單單說。

（嗯，他說了十九個字，正好單數。）

「你啊，不要這麼死板！」雙雙摸摸滾圓的肚子：「兩個標示牌最恰好。」

「你才不要死板板！」單單單的肚子圓滾滾：「一個恰恰好！」

「兩個！」

「不，一個！」

他們吵不出結果，只好去找神。

沒想到，兩個神在下棋！

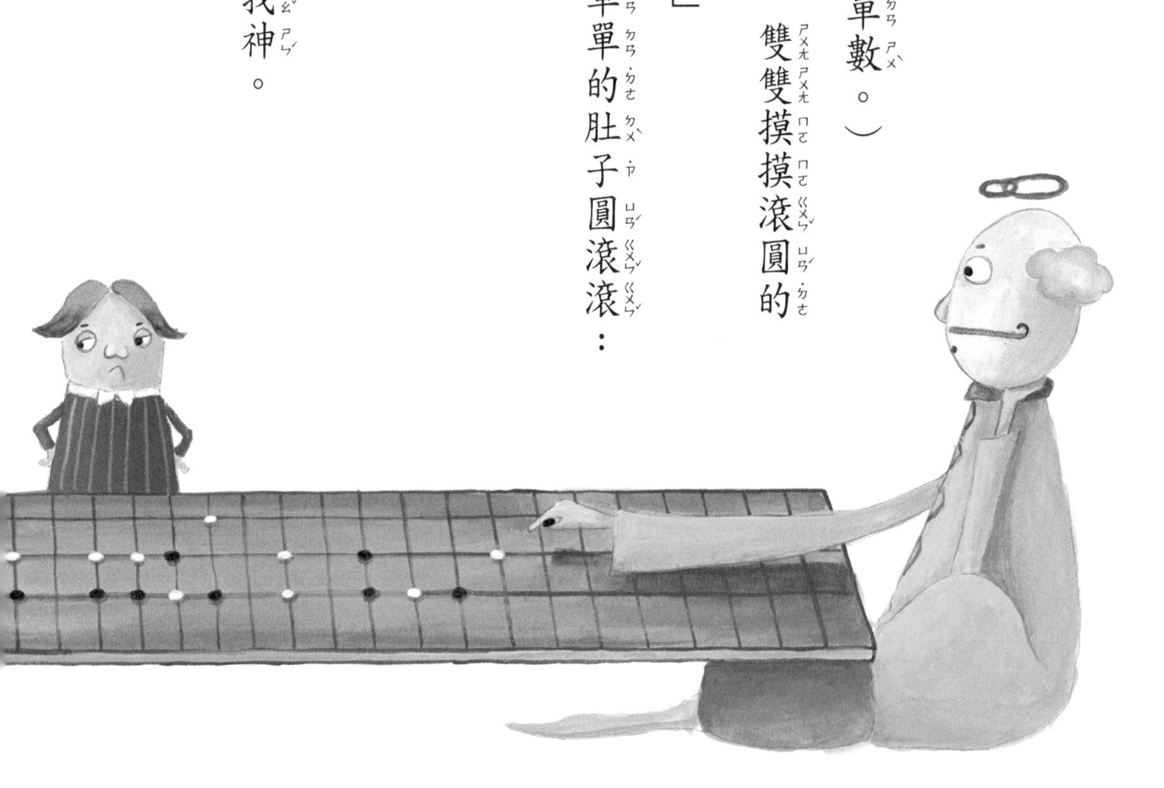

「哈哈，一定是在決戰！」雙雙一拍雙手，挺直腰。「待會兒雙雙神贏了，一定會痛宰單單神，到時，你可別氣得滿臉通紅喔！」

「哼，單單神贏了，雙雙神就倒楣啦！」單單單一手插腰，腰桿直挺挺。「到時候，你可不要滿臉紅通通！」

想不到兩個神下完棋，又笑嘻嘻的肩搭肩去泡溫泉了。

「哇！」雙雙滿臉通紅，手腳冰冷。（而且只說了一個字！）

「哎呀！」單單單滿臉紅通通，手腳冷冰冰。（而且說了兩個字！）雙雙看看單單單，單單單看看雙雙。

哎，連神都不分彼此了，人幹嘛還要分來分去？

從此以後，雙雙國和單單國就再也不分你我，一切隨意，想單就單，想雙就雙。

值日生：吳雙和王單單
雙雙國與單單國
ㄕㄨㄤ ㄕㄨㄤ ㄍㄨㄛˊ ㄩˇ ㄉㄢ ㄉㄢ ㄍㄨㄛˊ
＊說說看自己最喜歡的食物
吳雙：「甜甜的蛋糕、香香的烤雞、熱熱的煎餅。」
王單單：「甜蜜蜜的蛋糕、香噴噴的烤雞、熱呼呼的煎餅。」

文字聚寶盆

楊麗玲 繪

倉頡造了一個「文字聚寶盆」。

他先把「鳥」字丟進聚寶盆，然後口裡念著各種鳥的名字。

不一會兒，聚寶盆便響起各種鳥叫聲，接二連三飛出了好多有鳥字邊的字：鳩、鴉、鴕、鵝、鵬、鷺、鷹、鴛鴦、鸚鵡……

「耶，成功囉！」倉頡拍拍手。

利用聲音來造字，果然快多了！

倉頡又把魚字丟進聚寶盆，念著各種魚的名字。

聚寶盆傳出「潑剌剌！」的潑水聲，跳出了各式各樣的魚：

魷、鮑、鮭、鯉、鯊、鯨、鯖、鯽、鱷、鱈、鱒……

蚱
鴉
鸚
鷺
鳩
蚊
鵬
鷄
鴕
鵝

倉頡把虫字丟進聚寶盆，念著各種小動物的名字。

聚寶盆傳出「窸窸窣窣！」的聲音，出現了各式各樣的小動物：蚊、蛾、蜂、蟹、蚱蜢、蜘蛛、蜻蜓、蝴蝶……

「哈，太好了，同一個部首可以造出好多字！」倉頡又接連丟進木字、水字、山字、金字、竹字……

「呵，有了這麼多字，我可以用字來寫故事了。」倉頡正想動筆，一陣風忽然吹來，把一些字吹出窗外。倉頡趕緊追出去。

一屋子的字，你看看我，我看看你，都著急的等倉頡回來。

好久好久，門終於被推開了。但是進來的不是倉頡，是一個字。一個同字。

「我的部首被風吹跑了。」同字臉紅紅，難過的說：「我忘了我是誰。」

「沒關係，歡迎你加入我們。」金部首的字說。

同走過去，變成銅——一塊閃亮亮的金屬，好漂亮。

「可是……我記得我不是金屬……」

「哦，那試試我們吧！」木部首的字說。

同走過去，變成桐——

一棵梧桐樹，
高又高，綠油油。
「呃……我記得
我跟植物有關，
但不是樹。」
「到我們這邊來吧！」
水部首的字大聲說。
同走過去，變成洞——
又像山洞，又像地洞。
「嗯……我跟洞也有點像，
但不是黑黑的洞。」

「別灰心，試試我們。」竹部首的字說。

同走過去，變成筒——一個竹筒子，矮矮的，胖胖的。

「對了，我是竹筒子！可以裝東西的竹筒子！」筒字好高興，他終於找回自己了。

門又開了。倉頡領著找到的字回來，看到筒字，高興的說：「怪不得找不到你，原來你自己回來啦！」

所有字都好開心，他們幫筒字找到了家。他們想更進一步，幫倉頡一個大忙。「我們的部首位置太亂了！有的在左邊，有的在右邊，有的在下面……應該統一，看起來才整齊。」夜裡，他們偷偷調好位置。

第二天，倉頡看到字，大吃一驚：鳥九、鳥牙、鳥我、鳥朋、鳥路、魦鳥嬰鳥武……

「哇，你們是誰？」

「你不認得我們？」字委屈的說：「我們只是把部首全部換到左邊，這樣不是比較統一嗎？」

「但是少了變化啊！而且這樣一來，我就不認識你們了。」

不認識？那怎麼行，字馬上乖乖換回原來的樣子。

「嗯，我又認識你們了。」倉頡笑起來，拿出筆，開始寫故事。

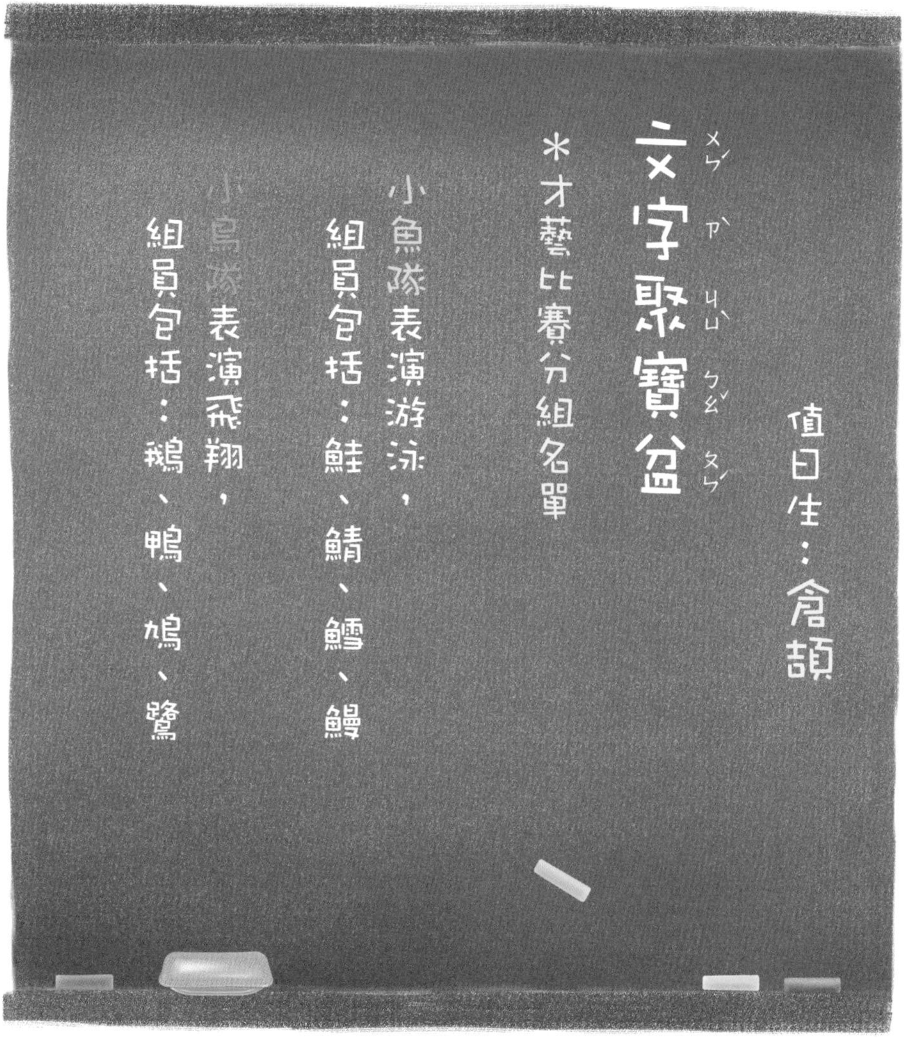

值日生：倉頡

文字聚寶盆（ㄨㄣˊ ㄗˋ ㄐㄩˋ ㄅㄠˇ ㄆㄣˊ）

＊才藝比賽分組名單

小魚隊表演游泳，
組員包括：鮭、鯖、鱈、鰻

小鳥隊表演飛翔，
組員包括：鵝、鴨、鳩、鷺

蝴蝶寫詩

鄭淑芬 繪

有一位林煥彰爺爺寫了一首詩叫

「花和蝴蝶」：

花是不會飛的
蝴蝶，蝴蝶是
會飛的花。

蝴蝶是會飛的
花，花是
不會飛的蝴蝶。
花是蝴蝶，蝴蝶也是花。

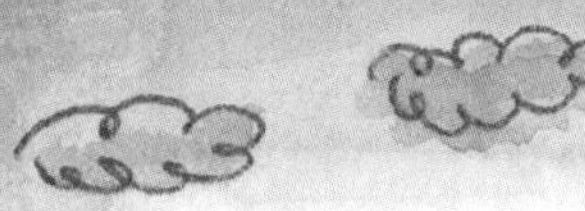

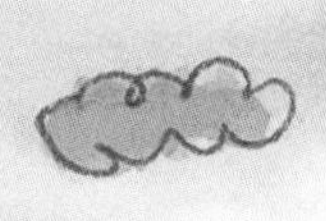

蝴蝶看見了，說：「這首詩真美！我也要來學寫詩。」

她跟太陽學寫詩，跟彩霞學寫詩，跟微風學寫詩。月亮也來教她，星星也來教她，偶爾出現的彩虹也教了她一點點。

蝴蝶好高興，她學會了寫詩！

蝴蝶把詩寫在紙上，藏起來。她說：「我的詩愛玩捉迷藏，看看誰能找到它？」

小動物聽到了，分頭去找詩，他們都想看看蝴蝶寫了什麼詩。

蜜蜂在油菜花田裡找到第一張紙：

三個人，和太陽玩騎馬打仗

「嘻，好玩！和太陽玩騎馬打仗？
那不是要騎到太陽頭上！」
瓢蟲在玫瑰花裡找到第二張紙：
一人頭上不戴帽，橫根竹竿當帽子
「哈，竹竿當帽子，真好笑！」
獨角仙在絲瓜花裡找到第三張紙：
稀奇真稀奇，叫化子頭上不長髮，卻長草
「嘿，還真稀奇呢！」

紡織娘在茉莉花上找到第四張紙：

秋天沒了火氣，在太陽頭上跳芭蕾舞

「咦，這首詩有點奇怪……」

白頭翁在百合花上找到第五張紙：

一橫一撇一枝竿，肚裡抱塊大泥巴

「哇……我看不懂耶！」

蜻蜓在野薑花裡找到第六張紙：

天有地沒有，你有他有我沒有

「這是在說什麼啊？」

金龜子在海芋田裡找到第七張紙：

別憂愁，秋天過去了

「咦，這是詩嗎？」

青蛙在荷花上找到第八張紙：

卡一半，下去了

「奇怪，蝴蝶寫的詩，怎麼一首比一首怪？」

「啊，我知道了！」松鼠跳起來：「要把它們排起來，才是一首詩！」

小動物立刻把句子排起來。可是他們左看右看，還是看不懂。

「哼，完全不通！」

「蝴蝶騙人！這根本不是詩。」

林爺爺走過來，看了看，想了想。

他拍拍手說：「呵呵，是一首詩呢！不過，蝴蝶把它藏了起來。你們看……」林爺爺一句一句解釋：

三個人，和太陽玩騎馬打仗：太陽就是日，三人在日上，是「春」字。

一人頭上不戴帽，橫根竹竿當帽子：一人是大，頭上加一橫就是「天」字。

稀奇真稀奇，叫化子頭上不長髮，卻長草：化字上頭加上草，就是「花」字。

秋天沒了火氣，在太陽頭上跳芭蕾舞：

秋去了火，是禾字，底下加日，
就是「香」字。

一橫一撇一枝竿，肚裡抱塊大泥巴：
泥巴是土，所以這是「在」字。

天有地沒有，你有他有我沒有：
天、你、他這三個字共同有的，就是「人」字。

別憂愁，秋天過去了：
愁字去掉秋，就是「心」字。

卡一半，下去了：
卡分成上下，把下拿掉，就成了「上」字。

林爺爺微笑著說：「所以，
蝴蝶寫了一首好詩呢。」
原來，蝴蝶寫的詩是：

春天，花香在人心上

「哇，蝴蝶好棒！」
動物都拍起手來：
「蝴蝶不但會寫詩，
還寫了一首猜謎詩！」

蝴蝶寫詩
ㄏㄨˊ ㄉㄧㄝˊ ㄒㄧㄝˇ ㄕ
*猜謎闖關大會
第一關　可上可下（猜一字）
第二關　竹林下有間廟（猜一字）
第三關　揪不住，只能放手（猜一個季節）
答案：哥、等、秋
值日生：蝴蝶

推薦文

閱讀和文字，文字和閱讀

兒童文學大師　林良

關心兒童閱讀，是關心兒童的「文字閱讀」。

培養兒童的閱讀能力，是培養兒童「閱讀文字」的能力。

希望兒童養成主動閱讀的習慣，是希望兒童養成主動「閱讀文字」的習慣。

希望兒童透過閱讀接受文學的薰陶，是希望兒童透過「文字閱讀」接受文學的薰陶。

閱讀和文字，文字和閱讀，是連在一起的。

這套書，代表鼓勵兒童的一種新思考。編者以童話故事，以插畫，以「類聚」的手法，吸引兒童去親近文字，了解文字，喜歡文字；並且邀請兒童文學作家撰稿，邀請畫家繪製插畫，邀請學者專家寫導讀，邀請教學經驗豐富的國小教師製作習題。這種重視趣味的精神以及認真的態度，等於是為兒童的文字學習撤走了「苦讀」的獨木橋，建造了另一座開闊平坦的大橋。

字的主題樂園

臺北市立健康國小老師　王文秀

單字、詞語、句子、段落及篇章的學習順序，是長久以來學習中文的不二法門，雖說認識單字，是學習一切語文的基本。但是這個主題樂園藉由字、詞的認識，進而學習成語中的字，讓孩子由聽故事、玩故事進而自己編故事、甚至創造可玩有趣的故事，不只語文程度會相對提升，更可由這個過程中，讓孩子自由的接觸文字、體驗文字的美，讓孩子自在的運用文字來達成「口說我心、手寫我意」境界的最終目標。

一、中國「字」的七十二變

中文是種深奧、富有深度的語言，不只每個字根據不同情況會有不同的發音，而且不同發音在字義上也會有不同的意思。例如：「宿」這個字可以念成ㄒㄧㄡˋ、ㄙㄨˋ、ㄒㄧㄡˇ，念ㄒㄧㄡˋ時，是指天上的星座的意思；而念成ㄙㄨˋ時，則有住下、落腳的意思；念成ㄒㄧㄡˇ時，則是指整晚、整夜的意思。這種有多種字音及字義的字，我們稱它為多音字或多義字。

孩子識字不多時，多半由字的讀音或是已經認識的字來猜意思，像是：「草」莓大概是一種草吧！人生「路」可能是一條路的名字！等到了低年級之後，即使兩個字的讀音相同，孩子也能分辨它們不同的含意，像是：自「豪」和絲「毫」、「鹹」味和「閒」談。在「王小小上學」故事中，同學們利用王小小這個姓名做不同的「名詞解釋」，不只每個字拆開來有各自的解釋，組合之後更是充滿極大的想像空間。同學們的玩笑被小小的媽媽一一化解，在我們的生活中，其實也可以陪孩子一起想想自己或同學名字的含義。

而在識字的過程中，以字組方式識字是快速且有效的學習方法。形聲字（魚、鳥部的字）及同偏旁（木林森）的組字，是孩子識字練習的基礎。在「文字聚寶盆」這篇故事中，藉由造字活動，讓孩子自然而然的學會同類的組字，不但可以試著猜測字的讀音，更可預測字的字義，讓孩子的識字過程不只是背誦，還多加一些娛樂及自主性。

由於識字是段長時間且單調、無趣的過程，所以有了可以邊玩邊識字的字謎遊戲，可以利用字義猜字，也可以用字的特性猜字。在「蝴蝶寫詩」這篇故事中，孩子第一次讀可能無法領略蝴蝶寫詩的含意，經由主角的解說及示範，我們可以跟孩子一起玩元宵的燈謎遊戲，先猜別人設計的字謎，從中尋找脈絡之後，還可以和孩子一同進行字謎的創作。

二、「語詞」的魔法

中國文字的美，量詞的使用是個重要的關鍵。同樣是交通工具，我們就會說一「架」飛機、一「列」火車、一「輛」汽車、一「部」摩托車、一「台」腳踏車……，同樣是動物，我們也會說一「條」狗、一「隻」貓、一「頭」牛、一「群」羊……，而在「離家出走的鋼琴」中，當孩子將正確的量詞修正過後，可以很明顯的發現文句讀起來變

得自然流暢，這就是中文美麗的地方。

小時候，通常我們會用簡單的形容詞來說明看到的事物，例如：晚上的天空是「黑的」、小妹妹的臉是「圓的」。長大些，就會學習到如果要把事物說得更具體或是更清楚，使用的形容詞就必須加些明確且強調性的文字，例如：夜晚的天空「黑漆漆」的、小妹妹的臉「圓滾滾」的，這就是我們所謂的疊字詞。在「巴巴國王變變變」及「雙雙國與單單國」中，說明的都是利用這些文字疊疊樂的遊戲，讓形容詞更活潑且更具有可看性。而另一種可以讓文句變活潑、真實的方式就是使用狀聲詞，在「小木屋裡的妖怪」中，利用狀聲詞的文字發音，讓孩子由聽覺轉化為視覺的學習，往後在文章中，適當的加入狀聲詞，可以讓文句變得更適切。

「又高又矮博士的妙點子」中，說明的是同義詞及反義詞的辨識。這個工作看似簡單，但對孩子的語彙及未來文句的安排是個重要的基本功夫。當孩子學會「大」是「小」的反義字時，我們就可以引導孩子推論「高」的反義詞，這時「小」與「矮」雖然意思類似，但是就不明確，因此同義詞與反義詞的語彙就可以藉此擴增。而在未來的文句中，若加入修辭法（反襯法）的安排，不但文句的意思能夠完整，更可以突顯出作者的原意。例如：「心煩」的時候，何不抽空上山走走，漫步在山間曲徑上，吹吹山風、看看樹林、享受享受大自然的美好，往往就能讓心情「平靜」許多。利用「心煩」與「平靜」兩種心情狀態，突顯出大自然的力量。

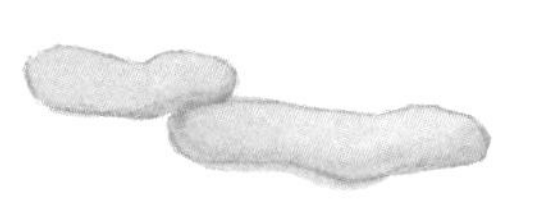
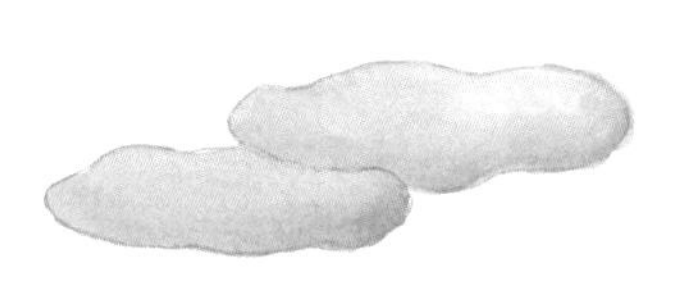
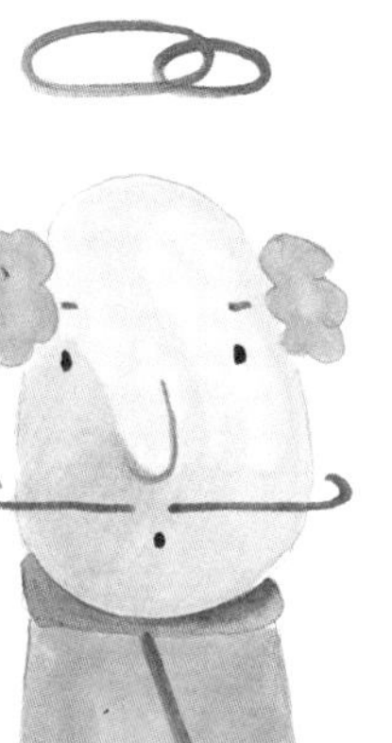

三、「成語」的美麗世界

成語是眾多語詞中的精粹文字，認識成語不只能見識到中國文字的博大精深，更可以了解它深富哲理的含義。成語中最有趣、基本的，可以從數字類成語著手。在教學上，我們常用數字成語的接龍遊戲，讓孩子用團體的力量認識成語，但在「小熊學算術」中，不只結合了語文及數學的練習，更將數學的答案美化成語文答案，例如：「天空÷全世界的人＝世界中的每個人，眼裡都有一片美麗的天空！」這種結合數學和語文的練習，可以陪孩子一起思考、激發創意，更可以品味出文字遊戲中的詩意與美感。

作者介紹

林世仁

我叫林世仁。

「林」是會意字，意思是樹林。我的老祖宗是在長林石室裡出生的，所以取林為姓。

「世」的古字是「葉」的同義字，我們現在使用的是它的引申義。人的一生叫「一世」，「世」也有「世代」的意思。

「仁」是會意字，指的是人與人之間相處的關係，有親善、仁愛的意思。一部《論語》基本上都是在闡述「仁」的意涵。

「林世仁」合在一起，就成為我在人生中的代號——名字。「世」在我的名字中還代表「輩份」，跟我同輩的堂兄弟，名字裡都有「世」字。

漢字以簡御繁，只需三千多字便能應付日常所需，但也因此出現許多諧音字。「世仁」的諧音就不少，彷彿寓示了我的一生：首先我生而「是人」（多麼幸運！），是這世界上的「世人」（而且神愛世人），而我也真的寫起詩來，有些「詩人」個性。我從小就瘦，瘦得有幾分「天將降大任於『斯人』也」的味道（只是從沒碰上什麼神聖奇遇）；而有朝一日，我將走完人生的旅程，成為「死人」。由生到死，我的名字說完了我的一生。名字也是父母對我的期許，我希望自己對人對事，都能常懷仁心。

除了這一套書，我寫過的書還有：童話《十四個窗口》、《十一個小紅帽》、《再見小童》、《和世界一塊兒長大》、《高樓上的小捕手》；童詩《我家住在大海邊》、《地球花園》、《宇宙呼啦圈》、圖象詩《文字森林海》、圖畫書《蚱蜢的英文信》等。

國家圖書館出版品預行編目資料

巴巴國王變變變：字的主題樂園/林世仁文；楊麗玲, 鄭淑芬, 黃文玉圖. -- 第三版. -- 臺北市：親子天下股份有限公司, 2021.06
96面；17×21公分. -- (字的童話系列；4)
注音版
ISBN 978-957-503-995-0(平裝)

863.596　　110005452

字的童話系列 04

巴巴國王變變變

作者｜林世仁
繪者｜楊麗玲、鄭淑芬、黃文玉

責任編輯｜蔡忠琦、李寧紜
美術編輯｜郭惠芳、蕭雅慧

天下雜誌群創辦人｜殷允芃
董事長兼執行長｜何琦瑜
媒體暨產品事業群
總經理｜游玉雪
副總經理｜林彥傑
總編輯｜林欣靜
行銷總監｜林育菁
資深主編｜蔡忠琦
版權主任｜何晨瑋、黃微真

出版者｜親子天下股份有限公司
地址｜台北市 104 建國北路一段 96 號 4 樓
電話｜（02）2509-2800 傳真｜（02）2509-2462
網址｜ www.parenting.com.tw
讀者服務專線｜（02）2662-0332 週一～週五：09:00~17:30
讀者服務傳真｜（02）2662-6048
客服信箱｜ parenting@cw.com.tw
法律顧問｜台英國際商務法律事務所．羅明通律師
製版印刷｜中原造像股份有限公司
總經銷｜大和圖書有限公司 電話：（02）8990-2588

出版日期｜ 2005 年 12 月第一版第一次印行
2021 年 6 月第三版第一次印行
2023 年 9 月第三版第五次印行
定　　價｜ 2600 元。全套共 7 本讀本、7 片有聲故事 CD，並加贈親子活動讀本 1 本（不分售）
書　　號｜ BKKCA004P
ISBN ｜ 978-957-503-995-0（平裝）

訂購服務
親子天下 Shopping ｜ shopping.parenting.com.tw
海外 ・ 大量訂購｜ parenting@cw.com.tw
書香花園｜台北市建國北路二段 6 巷 11 號 電話（02）2506-1635
劃撥帳號｜ 50331356 親子天下股份有限公司

立即購買 >